Hans Matran

"MERCI" QUI ?

PRÉCÉDÉ DE "LA GRISE MINE DE MONSIEUR MÉGOT"

GRIBOUILLAGES : JANRY
GRIFFONNAGES : TOME
BARBOUILLAGES : STÉPHANE DE BECKER
ENFANTILLAGES SUPPLÉMENTAIRES : DAN VERLINDEN

DUPUIS

Il y avait déjà LE GRAND SPIROU.
Désormais, il y a LE PETIT SPIROU.

Comprenons-nous : même si LE PETIT est plus petit que LE GRAND (qui est le plus grand)...

...LE PETIT, ce n'est pas le petit frère du GRAND.

LE PETIT SPIROU,
c'est simplement LE GRAND quand il était petit.

Mais attention : en simplifiant, on pourrait penser que LE GRAND est pour les grands lecteurs, et LE PETIT pour les petits...

Ce serait trop simple.

LE PETIT SPIROU est aussi bien pour petits et grands que LE GRAND (qui a déjà conquis tant de grands et petits).

C'est clair, non ?

COMMENÇONS PAR LES COULISSES :

VERTIGNASSE

Prénom : Antoine. Mon meilleur ami depuis qu'on nous a surpris à épier par le trou de la serrure du vestiaire des filles. Lui et moi, c'est "A la vie, à la mort!" On ne se quittera jamais. Sauf s'il me volait ma fiancée... Mais il ne ferait pas une chose pareille.

SUZETTE

Son vrai nom, c'est Suzanne BERLINGOT. C'est ma fiancée. Enfin, je crois : elle a son caractère. Parfois, je ne sais plus où on en est. Grand-papy prétend que c'est cela, le mystère féminin. Fille du pâtissier. Déteste qu'on la prenne pour une crêpe.

PONCHELOT

Nicolas, dit "BOULE DE GRAS". Mon deuxième meilleur ami. Il mange trop, celui-là. Un jour, il va éclater,tellement il est trop gros. Prétend que c'est un problème d'hormones, ou un truc comme ça. Mon œil! On me fera pas croire qu'une hormone puisse manger autant.

(Suite page 9.)

LA GRISE MINE DE MONSIEUR MÉGOT

Cela avait été un jour sans chance et sans amour.
POUF!
POUF!
Un jour comme tous les jours pour monsieur Mégot.
POUF!
TOME & JANRY
ASS. DAN
Déjà, le matin...
POURQUOI QUE TU FAIS DES DRÔLES DE PHRASES?
CE JUS DE LIMACE A RAISON, PAS BESOIN DE PARLER COMME LES GRANDES PERSONNES.
C'EST VRAI. ON POURRAIT RISQUER DE RIEN COMPRIRE.
BON, J'LA RACONTE, MON HISTOIRE OU VOUS PRÉFÉREZ RIEN FAIRE QU'À ME COUPER TOUT LE TEMPS?
I.

T'AS QU'À RACONTER MAIS AVEC DES MOTS QU'ON COMPREND.
BON, D'ACC! JE CONTINUE. Z'AVEZ QU'À IMAGINER!
ET PUIS D'ABORD CH'UIS PAS UN JUS DE LIMACE
TAIS-TOI, VISAGE-PÂLE
Donc, comme je disais déjà, dès le matin, ça n'avait pas commencé terrible pour monsieur Mégot, le prof de gym. Regardez...
ZZZ
ADADA
MARATON
SUPER PROF DE GYM
Il a mal dormi et a encore plein de marques des plis du drap sur la figure.
M'MAAAAAAAAN! 'SUIS RÉVEILLÉÉÉ!
Un gros câlin au réveil aurait pu arranger bien des choses...
Mais m'sieur Mégot est une grande personne et ça fait longtemps que sa maman lui donne plus de câlin pour se réveiller le matin.
PERSONNE
PAS DE CÂLIN.
M'sieur Mégot doit faire comme les grands, sans câlin, mais avec un réveil.
DRRRRR
Alors, il sort de son lit...
HÉ! ATTENDS! ÇA PEUT PAS ÊTRE UN LIT COMME ÇA!
MES PARENTS AUSSI SONT DES GRANDES PERSONNES ET ILS ONT UN GRAND LIT À DEUX PLACES.
PAS MÉGOT! PERSONNE VEUT DORMIR AVEC LUI!
QUOI? ET SA MAMAN NON PLUS, L'AIME PLUS?
SA PAUVRE MAMAN A PRÉFÉRÉ SE LAISSER MOURIR DE CHAGRIN QUAND IL A VOULU DEVENIR PROF DE GYM!
Toute la nuit, m'sieur Mégot a dû faire pipi. Mais il a préféré se retenir, pour pas devoir sortir dans le froid de sa chambre.
C'est pour ça qu'il a mal dormi.
ADADAS
Histoire de se mettre de bonne humeur, il essaie de s'amuser à faire la "lance d'incendie".
PIN PON
Comme tous les matins.
PROLOPROLOPROLOPROLO
Mais depuis le temps, même la "lance d'incendie" ne le fait plus sourire...
Et puis surtout, personne n'est là pour rigoler avec lui de ses blagues, Monsieur Mégot se sent bien seul.

Alors, avec toute cette tristesse, il a du mal à faire semblant qu'il est de bonne humeur à son travail de prof de gym.
ET D'ABORD C'EST PAS AVEC DES MUSCLES PAREILS QUE LES FILLES VOUDRONT VOUS FAIRE DES CÂLINS, D'ABORD.
NA!
KRAK
KLAK
OUÏE
Même qu'une fois...
TOK
!
BLAF
DEBOUT, COMÉDIEN! J'AIME PAS LES MAUVIETTES QUI FONT RIEN QUE DU CINÉMA POUR ÊTRE DISPENSÉS!
NON, M'SIEUR! C'EST SÉRIEUX: IL RISQUE LE TÉTANOS!
KRIK
KRAK
LE QUOI?
M'sieur Mégot a pas beaucoup étudié quand il était petit; c'est important pour la suite.
C'EST UNE GRAVE MALADIE QUI POURRAIT VOUS METTRE AU CHÔMAGE.
ALLEZ, HOP! JE T'EMMÈNE À L'INFIRMERIE, QU'EST-CE QU'ON DIT?
infirmerie
BEN, HEU... MERCI.
MERCI QUI?
UN BLESSÉ! ENTREZ VITE, M'SIEUR L'PROF DE GYM.
!
infirmerie
JE VOIS, PASSEZ-MOI LE GRAND FLACON DE MERCUROCHROME.
HEU... D'ACC!
Mercurochrome
Et même que madame l'infirmière avait un je-ne-sais-quoi qui plaisait à m'sieur Mégot.
TOME & JANRY ASS. DAN
ET VOILÀ, C'EST GUÉRI! ON DISAIT QUE C'ÉTAIT JUSTE UNE ÉGRATIGNURE!
TIENS! VOILÀ UN CÂLIN D'ABORD.
L'ennui, c'est que m'sieur Mégot ne pouvait voir l'infirmière que quand il y avait un blessé à guérir.
KRAK
III
Alors, bien vite...
TOK

BLAF
UN BLESSÉ ! VITE ! À L'INFIRMERIE !
HEU... ÇA IRA, M'SIEUR. C'EST RIEN DU TOUT.
AH NON AH NON ! ÇA VA S'INFECTER ET MOI, J'ATTRAPERAI LE CHÔMAGE.
CRICK
PIN PON PIN
?
Infirmerie
KRIK
KRAK
KRIK
KRK
KRK
TIENS ! VOILÀ UN CÂLIN, MON PETIT !
SMOUCH
PAS D'QUOI...
Rapidement, m'sieur Mégot comprend qu'il ne peut continuer à voir madame l'infirmière ainsi.
Plus il lutte contre le chômage, moins il a de travail à son cours de gym !
KRK
Et en plus, comme c'est pas lui qu'est blessé, c'est pas lui non plus qui reçoit les câlins, alors, hein...
Une autre fois, dans la salle des profs, m'sieur Mégot tombe encore amoureux de la prof d'écriture...
Alors, il lui écrit un petit mot.
Y LOVE YOUX
Signé le prof de GIM.
SCRITCH
SCRITCH
SCRITCH
PSS ! DUGENOU ? FAIS PASSER !
!
CHOCO
ET ALORS, MÉGOT ! QU'EST-CE QUE J'INTERCEPTE LÀ ? UN PETIT MOT ROMANTIQUE ?!
!
PRÉFET
IV
CONFISQUÉ ! 'FAUT EN FAIRE PROFITER TOUS VOS PETITS CONGÉNÈRES HÉHÉ !
OH ÔÔÔÔ ! ÉCOUTEZ-MOI ÇA !

Après ça, la prof d'écriture veut plus entendre parler de m'sieur Mégot.
PRT
ÇA NE MARCHERA JAMAIS. JE SUIS TROP LAID.
CROYEZ-MOI. IL N'Y A PAS QUE LE PHYSIQUE ! AVEC L'INTELLIGENCE, ON PEUT ÊTRE BEAU À L'INTÉRIEUR.
Du coup, il se met à apprendre l'intelligence, les beaux mots, le dictionnaire...
"TÉTANOS" (nom masc.) TERRIBLE MALADIE (voir aussi chômage)
LA FONTAINE
TINTIN
SÉGUR
PERRAULT
GRIMM
Et dès qu'il se sent assez beau intérieurement, il va parler à la prof d'écriture.
CHÈRE (adj. f.) MÈDÈME (n.f.) VOUDRIEZ-VOUS... (vouloir, forme interrogative, 2e pers. pluriel)
?
Mais...
HOUSTE ! VAT JOUÉ AUX DOKTEUR TOU SEUL, VILIN !
0/10
Il crie son désespoir au monde en écrivant partout des mots vengeurs.
SCRITCH SCRITCH
Fou !
BEUH HEU HEU
Toute cette histoire lui fait bien du mal : m'sieur Mégot se sent comme un homme blessé.
POLICE
Fou !
AÏE !
OUCH !
OULA !
AYA !
"BLESSÉ" ?!
L'INFIRMIÈRE VA ENFIN ME SOIGNER !
infirmerie
Mercurochrome
HÉLAS, C'EST MOI LA NOUVELLE, TIRE TON FROC POUR LA PIQÛRE, MON GAMIN !
!
ET VOILÀ CINQ CÂLINS POUR TOI !
D'ABORD.
?

Et c'est à tout ça qu'il pense en cette fin de journée nulle, quand soudain...
À L'AIDE! MON AMI EST TOMBÉ DE L'ARBRE OÙ ON JOUAIT AU DOCTEUR!
PUF PUF PUF
KRIK
KRK
?
C'est la prof d'écriture...
HÉHÉ, L'IMBÉC... HEU, LE PAUVRE! MIEUX VAUT PEUT-ÊTRE ABRÉGER SES SOUFFRANCES À CAUSE DU CHOSE... DU TÉTANOS, LÀ!
OU ALORS...
SAUVEZ-LE!
JE VAIS L'EMMENER, MÊME QU'IL N'A QU'UNE CHANCE SUR MILLE, D'ABORD.
M'EMMENER OÙ? À L'HÔPITAL?
NON! PLUS PRÈS D'ICI QUELQU'UN DE BIEN S'OCCUPERA DE VOUS...
À L'INFIRMERIE!
SPIROU! ON RENTRE, IL FAIT NOIR!
MAMAN!
VOILÀ. L'HISTOIRE EST FINIE. C'EST POUR ÇA QUE LE PROF DE GYM, IL EST TOUJOURS FÂCHÉ! C'EST PAS QU'IL EST TOUT SEUL.
QUOI? T'ES SÛR?
BEN, SI TU M'CROIS PAS, T'AS QU'À RACONTER TOI-MÊME.
P'TÊT QUE T'AS RAISON!
FAUDRAIT TOUJOURS VÉRIFIER QU'ON A PAS UN COPAIN QUI SE SENT TOUT SEUL. POUR PAS QU'IL D'VIENNE COMME M'SIEUR MÉGOT.
OUAIS.
VRAI!
?
Z Z Z
? ? ?
FIN
ASS. DAN

QUELQUES NOUVEAUX PERSONNAGES :

MADEMOISELLE CHIFFRE
(Son prénom s'rait Claudia, y paraît.) C'est notre institutrice de calcul et plein d'autres choses que je n'arrive pas à retenir quand je suis trop près du tableau où elle écrit. Le calcul, c'est pas trop mon fort. Depuis que Grand-Papy prétend l'avoir vue se baigner dans la rivière dans "le plus simple appareil", plus tard je veux devenir mécanicien. Et même, pour les appareils compliqués aussi. Ça m'fait pas peur.
CASSIUS
Ou plutôt Cyprien Futu. Son papa est le cuisinier de l'école et son oncle, chasseur de chenilles grillées à Ouagadougou. Cyprien est drôlement fort. Il pourrait faire boxeur plus tard, mais lui préfèrerait Indien ou alors marabout pour pouvoir changer le préfet en limace des savanes.
?

(Suite page 47.)

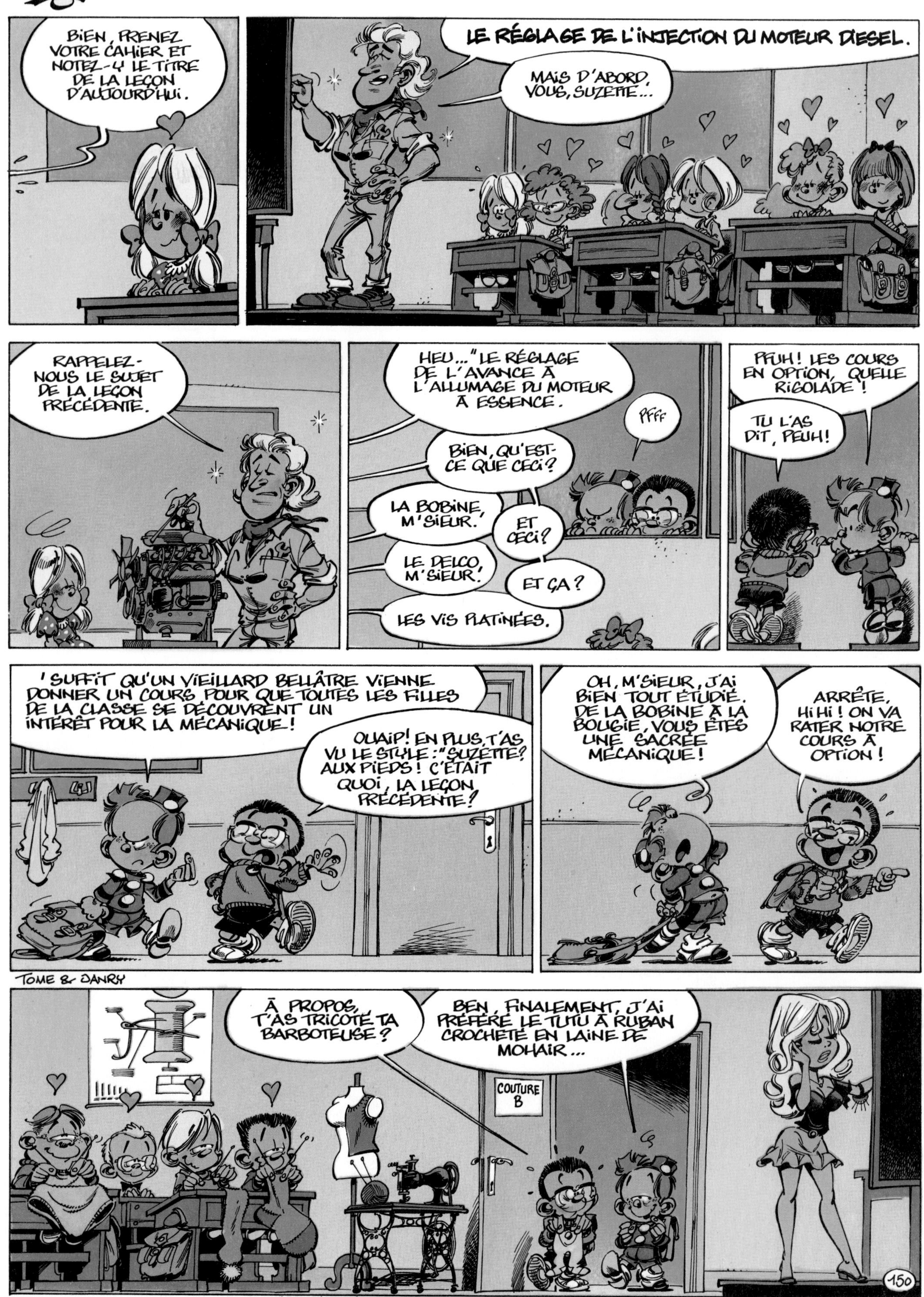
BIEN, PRENEZ VOTRE CAHIER ET NOTEZ-Y LE TITRE DE LA LEÇON D'AUJOURD'HUI.
LE RÉGLAGE DE L'INJECTION DU MOTEUR DIESEL.
MAIS D'ABORD, VOUS, SUZETTE...
RAPPELEZ-NOUS LE SUJET DE LA LEÇON PRÉCÉDENTE.
HEU... "LE RÉGLAGE DE L'AVANCE À L'ALLUMAGE DU MOTEUR À ESSENCE.
PFFF
BIEN, QU'EST-CE QUE CECI?
LA BOBINE, M'SIEUR.
ET CECI?
LE DELCO, M'SIEUR.
ET ÇA?
LES VIS PLATINÉES.
PFUH! LES COURS EN OPTION, QUELLE RIGOLADE!
TU L'AS DIT, PEUH!
'SUFFIT QU'UN VIEILLARD BELLÂTRE VIENNE DONNER UN COURS POUR QUE TOUTES LES FILLES DE LA CLASSE SE DÉCOUVRENT UN INTÉRÊT POUR LA MÉCANIQUE!
OUAIP! EN PLUS, T'AS VU LE STYLE: "SUZETTE? AUX PIEDS! C'ÉTAIT QUOI, LA LEÇON PRÉCÉDENTE?
OH, M'SIEUR, J'AI BIEN TOUT ÉTUDIÉ. DE LA BOBINE À LA BOUGIE, VOUS ÊTES UNE SACRÉE MÉCANIQUE!
ARRÊTE, HI HI! ON VA RATER NOTRE COURS À OPTION!
TOME & JANRY
À PROPOS, T'AS TRICOTÉ TA BARBOTEUSE?
BEN, FINALEMENT, J'AI PRÉFÉRÉ LE TUTU À RUBAN CROCHETÉ EN LAINE DE MOHAIR...
COUTURE B
150

EH BIEN, CELA ME SEMBLE TOUT À FAIT EXACT ! JE TE FÉLICITE, SPIROU !
TOME & JANRY
HEU... MOISELLE !
?
MES MAINS SONT TOUTES PLEINES DE POUSSIÈRE DE CRAIE. JE VAIS EN METTRE PLEIN MES CAHIERS.
TU AS RAISON ! ESSUIE-LES ! IL Y A UN CHIFFON ICI.
?
?
?
?
?
?
iiiiiiiiH !
DU CALME ! CE N'EST QU'UNE SIMPLE PANNE DE COURANT ! LA LUMIÈRE VA ÊTRE RÉTABLIE, N'EN PROFITEZ PAS POUR CHAHUTER !
YYYYH !
BOUUUH
OUAAAH !
OUAAAiiiiii !
LE FANTÔÔÔME !
OOOUUUH !
AH ! VOILÀ !
C'EST FINI ! SI TES MAINS SONT PROPRES, TU PEUX RETOURNER À TA PLACE, SPIROU.
PASSONS AU CALCUL SUIVANT.
151

Chair messieuse Mégot, surtou prenez bien votre temp.
... pour guérir de sette jambe cassé la semène dernioure au cour de saut a la perche.
Ici, tou va bien san vou ! Moiselle Jenifer est votre remplassante et organnise des cour de patin-a-roulettes.
... avec les filles, c'est drolement plus amusant que les altaires et quand on est fatigué, on arête tout de suite
On a donc, Vertignasse et moi déssidé de venir vou glicer un peti mos d'encouragemant sou la porte de votre chembre d'opital sans vou réveillé.
?
"Reposez vou bien fort. En ce ki consserne votre retour, rien ne presse du tou."
HÉ ! MAIS, QU'EST-CE QUE VOUS FAITES ?
VOUS, LA TORTIONNAIRE, LÂCHEZ VOS SERINGUES ET AIDEZ-MOI À SORTIR ! M'EN VAIS EMPÊCHER CETTE JEUNESSE DE RAMOLLIR !
TU CROIS QU'IL SERA CONTENT ?
BAH ! POURQUOI PAS ? ALLEZ ! CHAUSSE TES ROULETTES, ON FAIT UN SPRINT POUR LE RETOUR.
HOPITAL
TOME & JANRY
ARRÊTEZ ! SI VOUS RETOMBEZ, VOUS RISQUEZ DE VOUS...
MERCI ! AU PLAISIR...
ÇA ALORS, OÙ AI-JE PU OUBLIER MON DEUXIÈME...?
152

DE LA MAGIE?
NOIRE?
NOIRE, PARFAITEMENT!
...MÊME QUE, CONTRE UN DESSERT PAR PERSONNE, JE FAIS UNE DÉMONSTRATION. QUI MARCHE?
MOI!
MOI!
MOI!
SILENCE! OU J'EN PRENDS UN AU HASARD ET JE L'OBLIGE À PRENDRE TROIS FOIS DE LA SOUPE!
CANTI
R' GARDEZ BIEN LA SURVEILLANTE! J'VAIS L'ENVOÛTER À DISTANCE!
MAIS D'ABORD, JE DOIS MODELER UNE POUPÉE DE PURÉE À SON EFFIGIE COMME CECI.
ENSUITE, JE DOIS PRONONCER LES INCANTATIONS SACRÉES... ATTENTION!
!
FÈE GAFF CETATWA RATT PAH TON KOU!
ET HOP!
PIK!
?
BEN, TOI... DIS DONC!
CONVAINCUS? PAR ICI LES DESSERTS OU J'ENVOÛTE TOUS CEUX QUI NE TIENNENT PAS PROMESSE!
?
?
?
?
TOME & JANRY
♪
?
HEP, SORCIER! TU OUBLIES TON PARTENAIRE!
CRIE PLUS FORT! TOUT LE MONDE N'A PAS ENTENDU!
153

TOME - JANRY
BON ALLEZ, ÇA SUFFIT! T'EN AS MARQUÉ SIX, À MOI DE TIRER...
SIX? TRICHEUR! DOUZE, TU VEUX DIRE?
DOUZE? TU PLAISANTES! SI JE COMPTE BIEN, ÇA FAIT UN, DEUX, TROIS, QUATRE...
154.
ASS. DAN.

AAAH ! L'ANTIDOTE ! L'ANTIDOTE !
À L'AIDE ! LA VIEILLE SORCIÈRE ! ELLE M'A JETÉ UN MALÉFICE ! NE ME LAISSE PAS TOMBER ... NE
?
HEIN ? QU'EST-CE QUE TU RACONTES ? QUEL MALÉFICE ?
HEIN ? QU'EST-CE QUE TU RACONTES ? QUEL MALÉFICE ?
QU'EST-CE QUI TE PREND ? POURQUOI TU RÉPÈTES CE QUE JE ...?
QU'EST-CE QUI TE PREND ? POURQUOI TU RÉPÈTES CE QUE JE ...?
HO, NON ! PAS DE NOUVEAU CE TRUC IDIOT DU TYPE QUI RÉPÈTE TOUT !
HO, NON ! PAS DE NOUVEAU CE TRUC IDIOT DU TYPE QUI RÉPÈTE TOUT !
ARRÊTE !
ARRÊTE !
BON ! MOI, JE ...
BON ! MOI, JE ...
LÂCHE-MOI, J'TE DIS ! OU ...
LÂCHE-MOI, J'TE DIS ! OU ...
CRÉTIN ! ET SI JE ME JETAIS SOUS LE BUS, TU LE FERAIS AUSSI ? C'EST ÇA ?
TOME & JANRY
CHTON
HOURRA ! SAUVÉ !
MERCI, VERT' ! SANS TOI, JE RESTAIS COMME ÇA TOUTE MA VIE !
C'EST RIEN ! TOUT LE PLAISIR EST POUR MOI !
ASS. DAN.
155

AH ! TE V'LÀ, GRAINE DE VOYOU ! T'AS ENCORE UN AIR À PRÉPARER UN DE TES MAUVAIS COUPS !
AH ! TE V'LÀ, GRAINE DE VOYOU ! T'AS ENCORE UN AIR À PRÉPARER UN DE TES MAUVAIS COUPS !
POURQUOI TU RÉPÈTES CE QUE JE DIS ?
POURQUOI TU RÉPÈTES CE QUE JE DIS ?
JE VOIS ! SI C'EST UN TRUC POUR EXTORQUER À UN VIEILLARD DE QUOI SE FABRIQUER DES CARIES, TU PEUX TE BROSSER !
JE VOIS ! SI C'EST UN TRUC POUR EXTORQUER À UN VIEILLARD DE QUOI SE FABRIQUER DES CARIES, TU PEUX TE BROSSER !
OBSTINE-TOI JUSQU'À MA MORT, VAURIEN ! JE NE CÉDERAI PAS !
OBSTINE-TOI JUSQU'À MA MORT, VAURIEN ! JE NE CÉDERAI PAS !
C'EST BON ! C'EST BON ! QU'EST-CE QUE TU VEUX À LA FIN ?
SUPER ! UNE GLACE À LA VANILLE CHEZ LE MARCHAND LÀ-BAS !
!
UNE GLACE À LA VANILLE CHEZ LE MARCHAND, LÀ-BAS ?
À LA VANILLE ET AU CHOCOLAT !
À LA VANILLE ET AU CHOCOLAT !
?
TOME & JANRY
HÉ, MAIS TU RÉPÈTES TOUT CE QUE JE... DIS !
HÉ, MAIS TU RÉPÈTES TOUT CE QUE JE DIS !
BLAHBLAHBLAAH !
?
ASS. DAN
156

MOUREZ DONC DE JALOUSIE, PÉRONNELLES ! SI LES GARÇONS SONT DINGUES DE MOI, C'EST QU'ILS ONT ENFIN COMPRIS QUE LE PHYSIQUE NE COMPTE PAS SANS L'INTELLIGENCE !
HEU... MARIE-FERNANDE ! IL FAUT QUE JE... JE
OUI, MON BON ?
ET ENCORE UN AUTRE ! JE VOUS L'AI DIT, ILS SUCCOMBENT TOUS !
SHMACK
HOLÀ, GRAND FOU ! DOMINEZ VOTRE FOUGUE !
Z'AVEZ VU ÇA ?! SANS RIEN FAIRE ! J'SUIS DÉSOLÉE POUR CELLES QUE ÇA CHAGRINERA.
PLUS TARD...
ILS SOUFFRIRONT TOUS UN PEU, BEAUCOUP, À LA FOLIE...
ÇA NE COMPTE PAS !
ET POURQUOI PAS ?
?
PARCE QUE, POUR FAIRE PARTIE DE LA BANDE, C'EST SUR LA BOUCHE QU'IL FALLAIT L'EMBRASSER !
MAIS ELLE A UNE ÉNORME VERRUE SUR LA BOUCHE !
JUSTEMENT !
!
JE PRÉFÉRERAIS UNE AUTRE ÉPREUVE !
ON N'Y COUPE PAS ! ON Y EST TOUS PASSÉS ! OU ALORS, IL FAUT ALLER EMBRASSER LE CHIEN DU JARDINIER DU CÔTÉ OPPOSÉ À LA TÊTE.
C'EST BON ! C'EST BON !
TOME & JANRY
APRÈS TOUT, C'EST QU'UN BREF MAUVAIS MOMENT À PASSER, HEU...
MARIE-FERNANDE ?
MARIE-FERNANDE ?
ASS. DAN
157

SHOULABABI ...
SHOULABABA ...
ET... HOP!
BEN QUOI !? Y A UN DOUBLE FOND À TA BOÎTE, ET APRÈS? ...
HEIN ?... BEN, CH'AIS PAS, C'EST RIGOLO, QUOI ...
PF... JE VOIS! ÇA VA ENCORE ÊTRE UNE APRÈS-MIDI PLEINE D'ÉMOTIONS FORTES, COINCÉ AVEC UN VIEUX COMME GARDE-MALADE, MÊME PAS MOYEN DE JOUER À LA GUERRE!
HÉHO! C'EST PAS MOI QUI AI LA VARICELLE, HEIN? ET PUIS, LA GUERRE, MOI, J'AI PASSÉ L'ÂGE.
OUAIS. ON DIT ÇA POUR SAUVER LES APPARENCES, POUR PAS MONTRER QU'ON PEUT PLUS FAIRE TROIS PAS SANS UNE CHAISE ROULANTE. ÇA Y EST! J'AI UN PÉPÉ QUI SUCRE LES FRAISES!
QUOI ?! NOM DE...
À MOI, LES BOYS! LA PANZER DIVISION EST À MES TROUSSES!
JE...
?
HÉ? HEU... GRAND-PAPY?
HO?
À L'AAAIDE! MON GRAND-PAPY, IL...
TOME & JANRY
ASS. DAN.
VITE! IL EST LÀ-BAS TOUT RAIDE!
!
BEN QUOI !? JE CROYAIS QUE TU VOULAIS DES ÉMOTIONS FORTES.
JE DEVRAIS PAS TE LE DIRE MAIS J'AI CLAIREMENT ENTENDU LES PARENTS PARLER D'UNE MAISON DE RETRAITE AU PROCHAIN COUP DE CE GENRE.
158

REGARDE ! ELLE S'APPELLE GOURMANDINE, SA CHAMBRE EST LÀ-HAUT AU PREMIER, UN SACRÉ BEAU BRIN DE FILLE.
TOME & JANRY
SEULEMENT VOILÀ ; SES ENFANTS LUI INTERDISENT DE M'ACCOMPAGNER ! COMME SI J'ALLAIS LA DÉVERGONDER, À MON ÂGE ! ... J'CROIS QUE C'EST FOUTU POUR LA SOIRÉE AU BOWLING.
QUOI ?! MAIS IL FAUT TOUT T'APPRENDRE !
ASS. DAN.
J'AI FAIT LE COUP UN SOIR POUR SUZETTE. SUFFIT D'UNE ÉCHELLE COMME CELLE-CI. D'ABORD TU LANCES UN PETIT CAILLOU POUR SIGNALER DISCRÈTEMENT TA PRÉSENCE... ELLE T'OUVRE ET VOUS FILEZ EN DOUCE PAR L'ARRIÈRE.
NOM DE... MAIS, T'AS RAISON !
VOYONS DONC, UN PETIT CAILLOU.
TIK
PAS DE RÉACTION. JE VAIS INSISTER.
TENK
CE QU'IL FAUT, C'EST UN CAILLOU UN PEU PLUS GROS VOYONS, ... HEU ...
BELENG
?
DIS BONJOUR À MADAME GOURMANDINE, FISTON, ET SURTOUT, N'AIE PAS PEUR DE PARLER FORT !
159

!
M'DAME ! J'AI OUBLIÉ MON MAILLOT À LA MAISON ...
BAH ! CE N'EST PAS GRAVE, EN VOICI UN QUE TU PEUX EMPRUNTER.
OBJETS TROUVÉS
HEIN ?! MAIS C'EST UN MAILLOT DE PETITE FILLE !
C'EST ÇA OU TE BAIGNER TOUT NU. TU PEUX CHOISIR.
TOME & JANRY
PISCINE
HEP ! REGARDEZ ! HOHOHOHOHO ! SPIROU S'EST TRANSFORMÉ EN FILLE !
?
?
?
CH'UIS PAS UNE FILLE !
'COMPRIS ! C'EST CARNAVAL !
HO ! HO ! HO !
DIS DONC, TU SAIS QU'ON VEND LES MÊMES POUR HOMME ?
HA ! HA !
HI HI HI !
'Z'AVEZ RIEN COMPRIS, BANDE DE NULS ! LA PROF' DE NAT' ET MOI, ON A PARTAGÉ LA MÊME CABINE DE VESTIAIRE ...
ET DANS LE NOIR, ELLE ET MOI, ON S'EST JUSTE TROMPÉS DE MAILLOT, VOILÀ TOUT !
LA PREUVE, REGARDEZ, C'EST ELLE QUI PORTE LE MIEN !
?
C'EST UN PÉCHÉ DE MENTIR !
D'ACCORD, MAIS POUR UN PETIT MENTEUR ATTRAPÉ, COMBIEN DE DANGEREUSES ANDOUILLES EN LIBERTÉ !
183

KRIK
KRRR
GNiiiiiiEK
GNiiiiiiEK
?
HUMPF!
KRAK
HOP!
SANS LES MAINS!
GRINSS
HA HA!
ZOUPLA!
POUR VOUS, MÉDÈME!
BONK
ET DE SEPT! JOLI COUP!
REDRESSE TA PERRUQUE, EN V'LÀ UN AUTRE!
TIK TIK TIK
160

GRIIINSS
KRAK
AU SECOURS!
AU SECOURS!
GNIII
AU SECOURS!
AU SECOUUUURS
MON SAUVEUR
KAÏ KAÏ
CLAC CLAC
HEU... YAAAAA
KRIK
AH ! TE V'LÀ, "AU S'COURS" ! JE ME DEMANDE SI C'EST UN BON NOM QUE JE T'AI DONNÉ LÀ !
161

TOME & JANRY
ASS. DAN.
DANGER
10000 Volts
?
-162-

TR TR TR TR
POK
POK
?
BOK
TOME & JANRY.
ET VOILÀ COMMENT J'AI COMPRIS LE TERRIFIANT POUVOIR DES ARMES À FEU.
OUAIS !
T'AS RAISON.
. ASS. DAN .
163

?
NATURISME
!
TOME & JANRY
ASS. DAN.
!
164

VRRR
VRRM
WVRRRRRRRRR
WVVVRRRRRR
DÉPART
ART
ARRIVÉE
ARRIVÉE
VRRRRO
MEEEEEE
DÉPART
VROM! VROM! VROM! VROM!
VR... VROOM
DÉPART
VROOOOOOOOOAAAA
ÉPART
CATASTROPHE!
POTT PUTT PT...
DÉJÀ LA PANNE SÈCHE? IL VA FALLOIR MARCHER!
JUSQU'À LA PROCHAINE STATION D'ESSENCE EN HAUT DE CETTE COLLINE...
?
TOME & JANRY
DÉPART
ARRIVÉE
BIEN ESSAYÉ!
165
ASS. DAN.

NON, MONSIEUR SPIROU ! CECI N'EST PAS UN BALLON DE FOOT, JE VOUS AI BIEN ATTRAPÉ, HAHAHA !
?
KRR
CECI EST UNE RADIO !
ZIIIIII
BRICOLÉE DISCRÈTEMENT PAR MOI-MÊME POUR NE PAS RATER LE DIRECT DE LA FINALE "LOKOMOTIV KIEV" CONTRE LE "DYNAMO FINASSE-LES-MAGOUILLES", MA VILLE NATALE.
DANS QUELQUES SECONDES, LE COUP D'ENVOI...
?
MAIS M'SIEUR, C'EST PAS UN VRAI COURS.
SILENCE ! FORTE TÊTE ! UNE BONNE ÉTUDE THÉORIQUE VALANT PARFOIS MIEUX QU'UN EXERCICE MALADROIT, TOUTE LA CLASSE SUIVRA LE MATCH AVEC MOI !
INTERRO SUR LES NOMS DES BUTEURS À LA MI-TEMPS.
SAUF VOUS QUI GUETTEREZ DANS LE COULOIR, POUR LE CAS OÙ L'INSPECTEUR DE GYM (QUI NE PARTAGE PAS MES OPINIONS SUR LA PÉDAGOGIE) VENAIT FAIRE UN CONTRÔLE SURPRISE !
MAIS...
OUSTE !
C'EST PARTI ! À MORT, LE LOKOMOTIV !
ET DÉJÀ UN PENALTY POUR LE LOKOMOTIV DONT LE CENTRE-AVANT S'EST DÉLIBÉRÉMENT JETÉ SUR LE SOL, ABUSANT LE MALHEUREUX AVEUGLE DÉSIGNÉ COMME ARBITRE DE CETTE RENCONTRE ENTACHÉE D'IRRÉGULARITÉS !
M'SIEUR ! L'INSPECTEUR ! L'INSPECTEUR !
QUOI ?
DÉJÀ DOUZE MORTS DANS LES TRIBUNES...
! CHANGEMENT DE TACTIQUE ! ZÉRO À TOUS CEUX QUI NE FONT PAS SEMBLANT DE JOUER AU FOOT !
FAUSSE ALERTE !
HEIN ? QUOI ?
HÉ... NON !
...QUI TIRE ET PIIIIUUU... KRAAÂÂHÂ...
KRA
SHROTT
166
TOME & JANRY
ASS. DAN.

ALORS ?
CHHHT !
HOOÂÂÂÔô.
VOILÀ ! C'EST L'HEURE !
ÇA Y EST ! Y A PLUS UN CHAT DANS SA BOUTIQUE ! COMME TOUS LES JOURS, IL VA FAIRE UNE SIESTE JUSQU'À DEUX HEURES !
PARFAIT, C'EST LE MOMENT !
ENFIN, IL VA PAYER !
ZZZ
...
COIFF
ZZZZzz
TOME & JANRY
ASS. DAN.
NON ! CE N'EST PAS DE MOI, NON !
MAIS SI VOUS AVEZ UNE IDÉE DU CRÉATEUR...
167

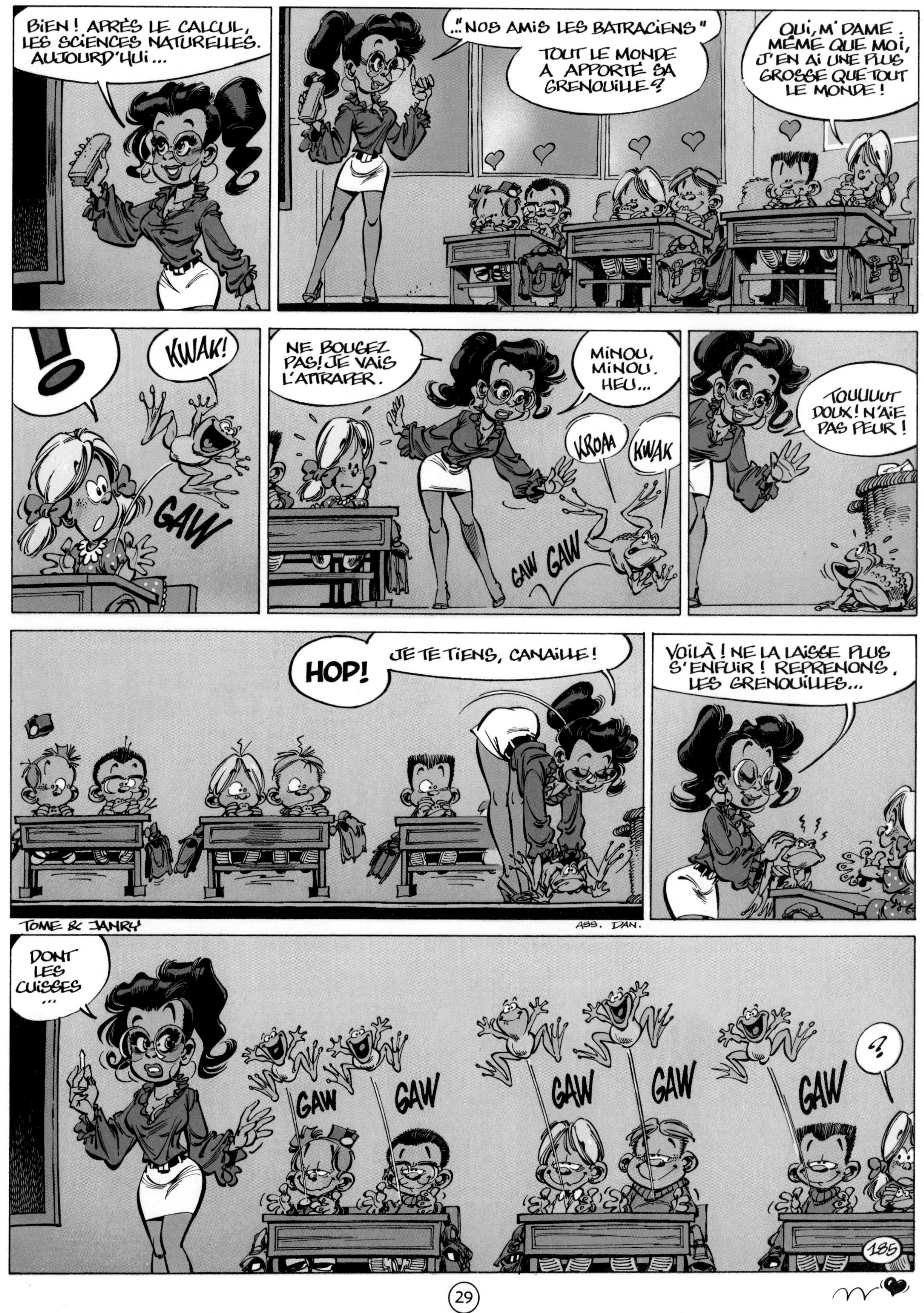

BIEN ! APRÈS LE CALCUL, LES SCIENCES NATURELLES. AUJOURD'HUI...
..."NOS AMIS LES BATRACIENS"
TOUT LE MONDE A APPORTÉ SA GRENOUILLE ?
OUI, M'DAME. MÊME QUE MOI, J'EN AI UNE PLUS GROSSE QUE TOUT LE MONDE !
!
KWAK!
GAW
NE BOUGEZ PAS! JE VAIS L'ATTRAPER.
MINOU, MINOU. HEU...
KROAA
KWAK
GAW GAW
TOUUUUT DOUX ! N'AIE PAS PEUR !
HOP!
JE TE TIENS, CANAILLE !
VOILÀ ! NE LA LAISSE PLUS S'ENFUIR ! REPRENONS. LES GRENOUILLES...
TOME & JANRY
ASS. DAN.
DONT LES CUISSES ...
GAW
GAW
GAW
GAW
GAW
?
185

DRiiiiNG
?
ABONNÉ 8937B, ICI LA COMPAGNIE DES TÉLÉPHONES. NOUS TRAVAILLONS ACTUELLEMENT SUR LA LIGNE !
?
ALORS, DURANT TOUTE LA PROCHAINE DEMI-HEURE, SURTOUT, NE DÉCROCHEZ PAS ! MÊME SI ÇA SONNE, VOUS RISQUERIEZ D'ÉLECTROCUTER LES OUVRIERS, MERCI !
MAIS, MADEMOISELLE ...
BON.
TOME & JANRY
ASS. DAN.
DRiiiiN
!
DRiiiiN
DRiiii
DRiii
DRiiiiN
DRiii
CLOP !
!
DRiii...
OUI, ALLÔ ?
AAAHA
BRZZZZZZ !
PFFiHiHi
PRFFFRRR
168

DÔÔÔ... DÔÔÔ L'ENFANT DÔÔÔ. BONNE NUIT, BÉBÉ !
HIHI ! J' CROYAIS QU'IL N'Y AVAIT QUE DANS LES BÉDÉS RINGARDES QUE LES FILLES JOUAIENT À "BÉBÉ"
POURQUOI ? FRIMER AVEC UN PISTOLET À EAU, C'EST PLUS INTELLIGENT ?
NOTE, HEIN, JOUE TANT QUE T'ES P'TITE ! AVEC TON NEZ LA CIGOGNE QUI T'APPORTERA UN BÉBÉ RISQUE DE FAIRE UN INFARCTUS.
M'MAAAN ! Y A SPIROU QUI M'A JETÉ UN COUP DE PIED DANS L'OEEEIL !
HEIN ?! MENTEUSE !
POUAAA ! DE TOUTE FAÇON, T'ES PAS D'LA FAMILLE ! J'CHUIS PAS TON FRÈRE, LÀ !
T'AS ÉTÉ ADOPTÉE !
... C'EST CE QUI EXPLIQUE QUE T'ES LA SEULE ICI À AVOIR LES OREILLES AUSSI DÉCOLLÉES !
M'MAAAAN !
CH'UIS P'TÊT' ADOPTÉE, MAIS CH'UIS SURTOUT LA PRÉFÉRÉE. M'MAN M'A DONNÉ UN GÂTEAU ET PAS TOI, TRALALA !
!
M'MAAAN, ELLE VEUT PAS M'EN DONNER
MIAM
MMM'MH IL EST BON LE GÂTEAU !
MIAM
HOP ! À L'AIR, LA P'TITE CULOTTE. HÔÔÔÔ, MAIS QUE VOIS-JE ? Y A EU DES CATASTROPHES !
TOME & JANRY
ASS. DAN.
TIENS !! BOM M'MÂAAN KLETT !! PAF VLAN
ET ALORS, QUAND EST-CE QU'ON SE DÉCIDE À FABRIQUER UNE PETITE SOEUR À CE BON P'TIT GALOPIN ?
BAH... RIEN NE PRESSE.
169

HEP! HIER, J'AI PU ALLER ME COUCHER SUPER TARD, HUIT HEURES ET DEMIE!
QUOI ?! À PEINE ?! MOI, JE NE VAIS PAS AU LIT AVANT NEUF HEURES.
PFF! VOUS NE SAVEZ PAS LA MEILLEURE, MOI...
... PARFOIS, JE PEUX ME FAIRE SI DISCRET QUE MES PARENTS OUBLIENT DE M'ENVOYER AU LIT AVANT NEUF HEURES ET DEMIE!
OUAIS... MAIS ATTENDEZ! MOI, LE SAMEDI, JE PEUX PARFOIS RESTER JUSQUE DIX!
... SEULEMENT ?! POUR MOI, PAS QUESTION DE DORMIR AVANT MINUIT! HAHAHA!
BÉBÉS! MOI SOUVENT, LE DIMANCHE, JE NE DORS PAS DU TOUT À CAUSE DU VOISIN QUI FAIT LA JAVA!
ET MOI, J'AI UNE LAMPE SOUS LES DRAPS. ALORS, JE DORS PAS NON PLUS, NA!
T'AS LES TRAITS TIRÉS, PRENDS UN SOMNIFÈRE!
BAF
KLOP
BOUFF
M'SIEEEUR!
?
C'EST PAS BIENTÔT FINI, CES DISCUSSIONS IDIOTES? BANDE DE FUTURS PETITS DEMEURÉS!
TOME & JANRY
ASS. DAN.
J'VEUX PLUS RIEN ENTENDRE, SINON...
'M'F'RAIENT PERDRE MA BONNE HUMEUR, CES VAURIENS... FIGUREZ-VOUS QUE...
... HIER, J'ME SUIS ACHETÉ UNE PETITE DÉCAPOTABLE QUI MONTE À 160 CHRONO!
QUOI ?! À PEINE ?! MOI, MON VIEUX COUPÉ DÉPASSE LE 180!
PFF! VOUS NE SAVEZ PAS LA MEILLEURE, MOI...
170

TOME & JANRY
ASS. DAN
171

ET T'ES BIEN SÛR QUE ÇA MARCHE ?
CERTAIN ! J'L'AI FAUCHÉ À MON ONCLE QUI EST CHAMANE. S'IL L'APPREND, IL NOUS TRANSFORME EN CHENILLES !
Y'LÀ MA MÈCHE DE CHEVEUX. T'ES SÛR QU'ELLE VA RIEN GOÛTER ?
'T'INQUIÈTE ! ÇA SE DISSOUT. DÈS QU'ELLE AURA AVALÉ ÇA, ELLE VA TOMBER FOLLE DE TOI, ET DE TOI SEUL !
T'AS MES CHOCOLATS ?
ET SURTOUT PAS PLUS DE DEUX GOUTTES, HEIN ?!
ADADAS
MON MAILLOT PRÉFÉRÉ !
Mark Slipz
LA VOILÀ ! ENFIN LE GRAND JOUR !
CAFÉTÉRIA
ELLE S'ÉLOIGNE ! C'EST LE MOMENT OU JAMAIS !
UNE... DEUX... HEU... OH, ET PUIS ZUT !!
GLOF ! GLOF ! GLOF ! GLOF !
ET BIEN SÛR, MOI, CHÈRE MÉDÈME, N'ÉCOUTANT QUE MON COURAGE, J'AI... HEM... SAUVÉ CETTE MALHEUREUSE ET...
OUPS !? J'ALLAIS OUBLIER L'HEURE ! NOUS ALLONS RATER LE COURS !
KRIK
?
TOME & JANRY
ASS. DAN.
HÉ, HEU... VOUS NE FINISSEZ MÊME PAS VOTRE... ?
KRAAA...
GASPILLAGE ! C'EST TROP BÊTE !
GLOP !
"COMBIEN DE TEMPS ÇA FAIT DE L'EFFET ?" BEN... FAUDRAIT DEMANDER À MON ONCLE, MAIS...
186

POUF!
POUF!
KRR
KRIK
FROT FROT FROT
?
?
HÉ HÉ!
KRR
PT!
PT!
!
HOP!
HÉ HÉ
KRAK
?
?
?
?
KSS! KSS!
Hi Hi
HUMPF!
?
TOME + JANRY
ASS. DAN.
?
172
HOOHOO! MON CHIEN?
M' SIEUR! M' SIEUR! Z'AURIEZ PAS VU...?
LÀ-BAS! SOUS LE PANTALON QUI GALOPE!

... L'HIVER EST ARRIVÉ ET RECOUVRE LA NATURE DE SON BLANC MANTEAU DE NEIGE : C'EST L'ÉPOQUE OÙ L'ON PEUT OBSERVER LES ANIMAUX QUI SE HASARDENT HORS DE LA PROTECTION DE LA FORÊT...
TOME & JANRY
ASS. DAN.
... À LA RECHERCHE D'UNE NOURRITURE DEVENUE RARE. CHACUN EST SUR SES GARDES...
LES P'TITES FEMMES DE PIGALLE
... CAR LE RISQUE DE RENCONTRER UN PRÉDATEUR EST TOUJOURS PRÉSENT...
GRINSS
KRIK
HEUREUSEMENT, L'ANIMAL, SOUVENT PLUS BÊTE QUE MÉCHANT, MANQUE RAREMENT DE SIGNALER SA PRÉSENCE...
... ET SON CRI, RÉSONNANT LUGUBREMENT, FAIT VITE FUIR LE GENTIL GIBIER.
BUUUUOARP
LES SOLITAIRES, QUE LA HORDE ELLE-MÊME A REJETÉS, SONT LES PLUS MENAÇANTS...
KRAK
... MAIS QU'ILS EN VIENNENT, POUSSÉS PAR LA FAIM, À SE REMETTRE À CHASSER EN BANDE...
... ET C'EST LA NATURE TOUT ENTIÈRE QUI FRÉMIT SOUS LA MENACE.
ES-TU SÛR QUE DE PAREILS MONSTRES HANTENT ENCORE NOS CAMPAGNES AUJOURD'HUI ?
MÉFIEZ-VOUS ! ILS SONT PEUT-ÊTRE TOUT PRÈS.
173

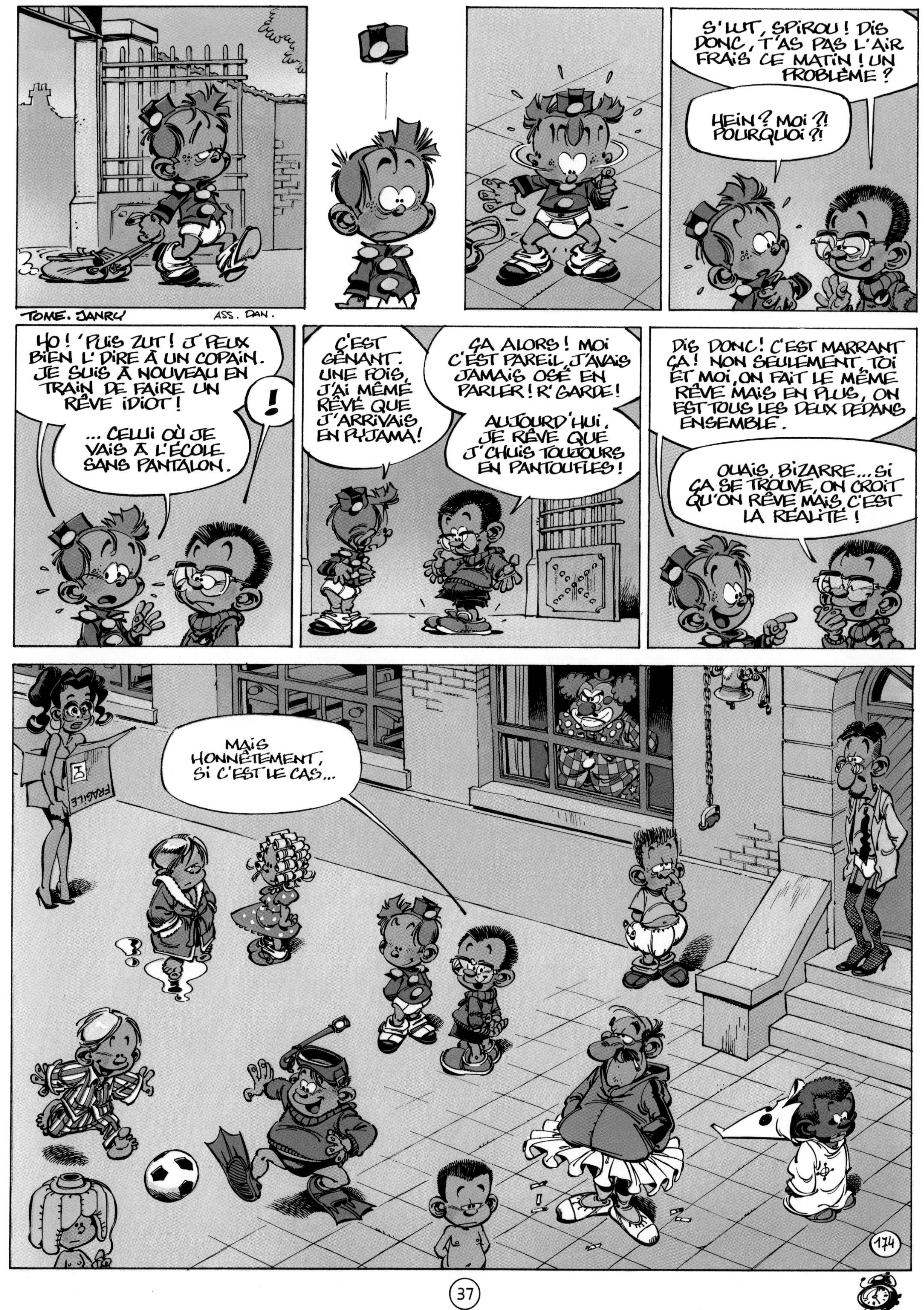
TOME. JANRY
ASS. DAN.
S'LUT, SPIROU ! DIS DONC, T'AS PAS L'AIR FRAIS CE MATIN ! UN PROBLÈME ?
HEIN ? MOI ?! POURQUOI ?!
HO ! 'PUIS ZUT ! J' PEUX BIEN L' DIRE À UN COPAIN. JE SUIS À NOUVEAU EN TRAIN DE FAIRE UN RÊVE IDIOT !
... CELUI OÙ JE VAIS À L'ÉCOLE SANS PANTALON.
!
C'EST GÊNANT. UNE FOIS, J'AI MÊME RÊVÉ QUE J'ARRIVAIS EN PYJAMA !
ÇA ALORS ! MOI C'EST PAREIL, J'AVAIS JAMAIS OSÉ EN PARLER ! R'GARDE !
AUJOURD'HUI, JE RÊVE QUE J'CHUIS TOUJOURS EN PANTOUFLES !
DIS DONC ! C'EST MARRANT ÇA ! NON SEULEMENT, TOI ET MOI, ON FAIT LE MÊME RÊVE MAIS EN PLUS, ON EST TOUS LES DEUX DEDANS ENSEMBLE.
OUAIS, BIZARRE... SI ÇA SE TROUVE, ON CROIT QU'ON RÊVE MAIS C'EST LA RÉALITÉ !
MAIS HONNÊTEMENT, SI C'EST LE CAS...
FRAGILE
174

ON EST HEUREUX NATIONALE SEPT
DILING DILING
FROT' FROT'
?
POFF
PLOCH
PLOCH
PLOCH!
?
MA VOITURE ! STUPIDE ANIMAL ! JE VIENS DE LA LAVER !
C'EST LA BABALLE QUE TU VEUX ? TU LA VEUX, LA BABALLE !?
ET HOP ! DANS LA FLOFLOTTE, LA BABALLE !
PLOUF !
C'EST ÇA, MINOU ! VA NAGER UN PEU !
TOME & JANRY
ASS. DAN.
AH ! MERCI, M'SIEUR ! C'EST GENTIL DE L'AVOIR RETROUVÉE !
?
BEN QUOI, MON CHIEN, QU'EST-CE QUE TU CHERCHES DANS L'EAU ? ELLE EST ICI, TA BABALLE !
!
175

AU RÉFECTOIRE, CE JOUR-LÀ ...
SPIROU ! LÈVE-TOI ET APPROCHE !
?
?
JE SORS UN INSTANT. PENDANT CE TEMPS, TU T'INSTALLERAS PRÈS DE CE TABLEAU POUR Y INSCRIRE LES NOMS DE CEUX QUI BAVARDENT.
HEIN ?! MAIS, POURQUOI MOI ? C'EST MOI LE PLUS GRAND CHAHUTEUR DE ...
JUSTEMENT. EN CAS DE VACARME, JE SAURAI QUI ENVOYER EN RETENUE ! SAMEDI !
HEIN ?! MAIS...
SAMEDI ?! MON RENDEZ-VOUS AVEC SUZETTE !
HÉHÉ !
HÉ, VOUS AUTRES ! Z'AVEZ ENTENDU ? QU'EST-CE QU'ON ATTEND ?! HURLEZ APRÈS MOI !
RIEN À FAIRE ! HEU... JE NE SERAI PAS VOTRE BOUC EMM... HÉMISPH... PLUS UN MOT !
?
?
?
...OU JE NOTE IMPITOYABLEMENT LES NOMS, HEU... MASSEUR ! SILENCE !
MAIS, J'AI RIEN DIT !
MÊME ! C'EST POUR L'EXEMPLE !
CINQ MINUTES PLUS TARD...
HI HI ! PAS UN MURMURE ! LE TRUC A MARCHÉ !
TOME & JANRY
ET ALORS? QUI A SON NOM SUR LA LISTE DES CHAHUTEURS?
PERSONNE, 'MOISELLE ! Y EN A PAS UN QU'A OUVERT LA BOUCHE !
176

!
ELLE EST LÀ ! ELLE EST LÀ ! CACHE-MOI ! CACHE-MOI !
HEIN !? "QUI" EST LÀ ?!
RAOULETTE ! LÀ-BAS, QUI ENTRE AVEC ANNE-SOPHIE ! CH'UIS TROP TIMIDE ! JAMAIS ELLE NE SE RENDRA COMPTE QUE JE SUIS AMOUREUX D'ELLE !
HEIN ?! MAIS C'EST IDIOT !
TU DEVRAIS AU CONTRAIRE TE FAIRE REMARQUER. PAR EXEMPLE, EN LUI BALANÇANT TON SOURIRE CANON GENRE "CHALUT, TOÂ ! CHA BOUME ?"
QUOI ?! T'ES FOU ! J'OSERAI JAMAIS !
CHEBAAH...
DÉCIIIDE-TOI ! ELLES APPROCHENT... ALLEZ, VIEUX ! SOURIS !
HEU...
CHALUT, LES POULETTES ! CHA BOUME ?
TOME & JANRY
ASS. DAN
HÉ, T'AS VU !? ÇA MARCHE ! REGARDE-LES SE MARRER ! CH'UIS SÛR QU'ELLE DOIT CRAQUER !
SUPER ! DÉS QUE TU VOIS UNE OCCASION, TU RECOMMENCES.
...SANS LES ÉPINARDS COLLÉS AUX DENTS !
177
SPINAC

OUUAAIIIIS!
DIS DONC, SPIROU, SE BAIGNER SANS RIEN DANS LA RIVIÈRE, C'EST MARRANT MAIS 'FAUDRAIT PAS QU'ON NOUS FAUCHE NOS VÊTEMENTS !
BAH! AUCUN RISQUE...
C'EST UN ENDROIT CONNU DE MOI SEUL ET LES FILLES SONT PAS CAPABLES DE NOUS AVOIR SUIVIS JUSQU'ICI.
PLUS TARD...
ALLEZ! MOI, JE SORS...
Mairsi pour lè vêtemantz. bisouz lè fies
!
"AUCUN RISQUE!" "CONNU DE MOI SEUL!" ON FAIT QUOI MAINTENANT?
HEU... DU CALME! Y A QU'À REMONTER LA RIVIÈRE! ON FINIRA BIEN PAR TROUVER UN ÉPOUVANTAIL À QUI CHIPER SES GUENILLES.
BEAUCOUP PLUS TARD...
LÀ-BAS! SUR LA BERGE COMME JE L'AVAIS PRÉVU!
Y EN A QU'UN POUR DEUX! DONNE TON CANIF!
TOME & JANRY
ASS. DAN.
ÇA TE PARAÎT NORMAL, TOI, UN ÉPOUVANTAIL À DEUX KILOMÈTRES DU PREMIER CHAMP ?
BEN QUOI, MÊME LES ÉPOUVANTAILS ONT LE DROIT DE SE BAIGNER !
? ? ?
178

"CALCUL": TRÈS BIEN !
2+3=5
"DESSIN": PARFAIT !
"NATATION": EXEMPLAIRE !
"CODE DE LA ROUTE": BRAVO !
5T
2M
10T
ET MÊME "COUTURE" POURTANT EN OPTION : FÉLICITATIONS !
EN REVANCHE ...
TOME + JANRY
ASS. DAN.
"GYMNASTIQUE"...
ZÉRO !
ET JE SUIS ENCORE TROP BON !
KRIK
BULLETIN
JE SUPPOSE QUE TU AS UNE BONNE EXPLICATION !
JE NE SAIS PAS SI TU PEUX COMPRENDRE ...
180
0/10

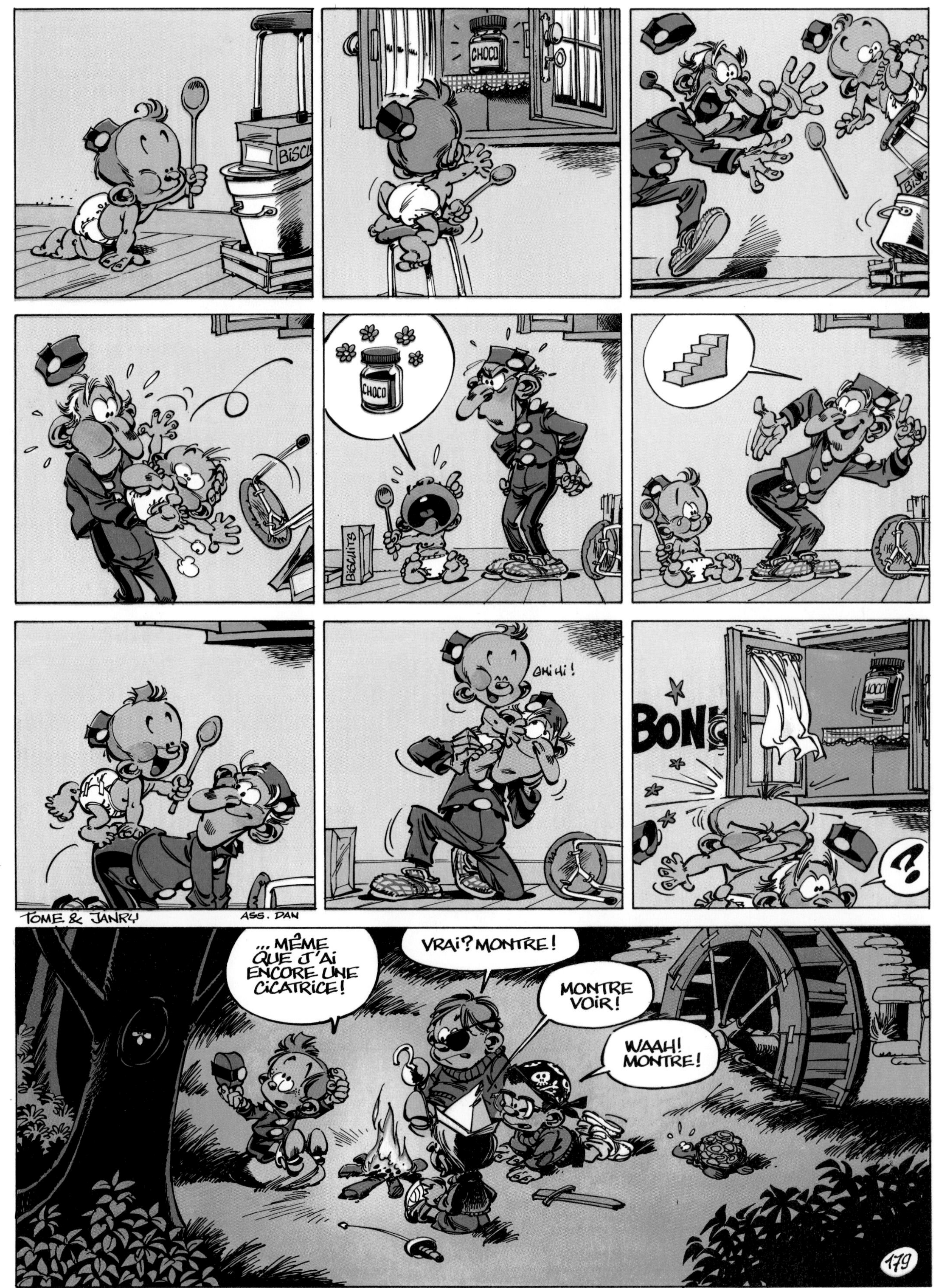
BISCU
CHOCO
BISCUITS
CHOCO
GHI HI!
BONK
TOME & JANRY
ASS. DAN
... MÊME QUE J'AI ENCORE UNE CICATRICE!
VRAI? MONTRE!
MONTRE VOIR!
WAAH! MONTRE!
179

CRÉMILDIU DE P'TIT FARFOUILLEUR ! ON PEUT SAVOIR CE QUE TU AS L'INTENTION DE FAIRE AVEC MON RASOIR ?
JE, HEU... HÉ BEN ...
JE VOIS ! ALLEZ, J'AI COMPRIS, VA ! TU TE DEMANDES QUAND TOI AUSSI TU VAS POUVOIR TE RASER COMME UN GRAND ? PAS VRAI ?
POURQUOI TE CACHER ? 'SUFFIT DE DEMANDER ! TON PÉPÉ PEUT T'EXPLIQUER BEAUCOUP DE CHOSES !
REGARDE !
?
T'AS RAISON, FISTON ! C'EST LE RASAGE QUI FAIT L'HOMME, MAIS IL Y A UN SECRET, HÉ HÉ !
CE QUI FAIT LE RASAGE, C'EST LA MOUSSE !
LE GESTE DU BLAIREAU QUI TOURNE SUR LE SAVON FAIT L'ONCTUOSITÉ PROTECTRICE.
REGARDE BIEN ! MÊME TA GRAND-MÈRE N'A JAMAIS DÉCOUVERT L'ART DE NE PAS S'ENTAILLER LA PEAU EN SE RASANT.
SCRIIIIIP
ET PAS QUESTION D'UTILISER CES MOUSSES MODERNES EN TUBE OU EN CONSERVE POUR COSMONAUTE PARESSEUX !
" LA MOUSSE AU BLAIREAU, LE RASAGE DES PLUS BEAUX " !
RETOURNE-TOI ET FERME LES YEUX !
TOME & JANRY
ASS. DAN
HA HA ! TU VEUX ESSAYER ? POURQUOI PAS ? DU MOMENT QUE JE GARDE LE RASOIR.
BIDOUILLE BIDOUILLE
HÉ, GRAND-PAPY !
UNE FRAISE ?
181

ATTENTIOOOOON ! DIX-NEUF, DIX-HUIT, DIX-SEPT...
...NEUF! ...HUIT! ...SEPT! ...
LÀ !
...TROIS, DEUX, UN... TANT PIS POUR CELUI QUI N'EST PAS ENCORE CACHÉ !
TA TSAAAN !
!
HÉ LA ! TOI, MON BONHOMME, JE T'AI ...
!
!
? ? ?
TOME & JANRY
ASS. DAN
HÉ HÉ ! TROP TARD, J'AI GAGNÉ !
HEIN, MAIS ?! NE ME DIS PAS QUE TU N'AS PAS VU QUE...
?
"VU" QUOI, AU JUSTE ?!
DANS LA CABINE DE MA FIANCÉE ?!
182

Ce jour-là, à la piscine...
Comment ça, "tu as oublié ton maillot à la maison"?!
Ce n'est pas grave ! Mon gaillard, on va te trouver un maillot de rechange. Il en traîne toujours un quelque part.
Objets trouvés
Voilà ! Juste ta taille ! Te v'là sauvé ! Qu'est-ce qu'on dit au gentil m'sieur Mégot ?
Mignon, non ?
Un... un maillot de... de fille ?! Les copains vont s'moquer de moi !
'Veux pas l'savoir ! Ça t'apprendra à être distraite, petite diablotine !
Sois prête pour le cours dans deux minutes.
Hin hin !
Douches
?
?
?
?
Ben, qu'est-ce qui t'arrive ?
C'est le prof, il m'a obligé...
Moi, parfois, j'aimerais bien être une fille...
?
Pour savoir à quoi ressemble leur kik
?
Dites... heu... on pourrait peut-être...
Tome & Janry
Ass. Dan
Plus tard...
Je ne sais pas où vous avez trouvé ceux-ci, mais je vous préviens...
Si dans deux minutes, on ne m'a pas rendu mes vêtements...
184

QUELQUES ANCIENS :

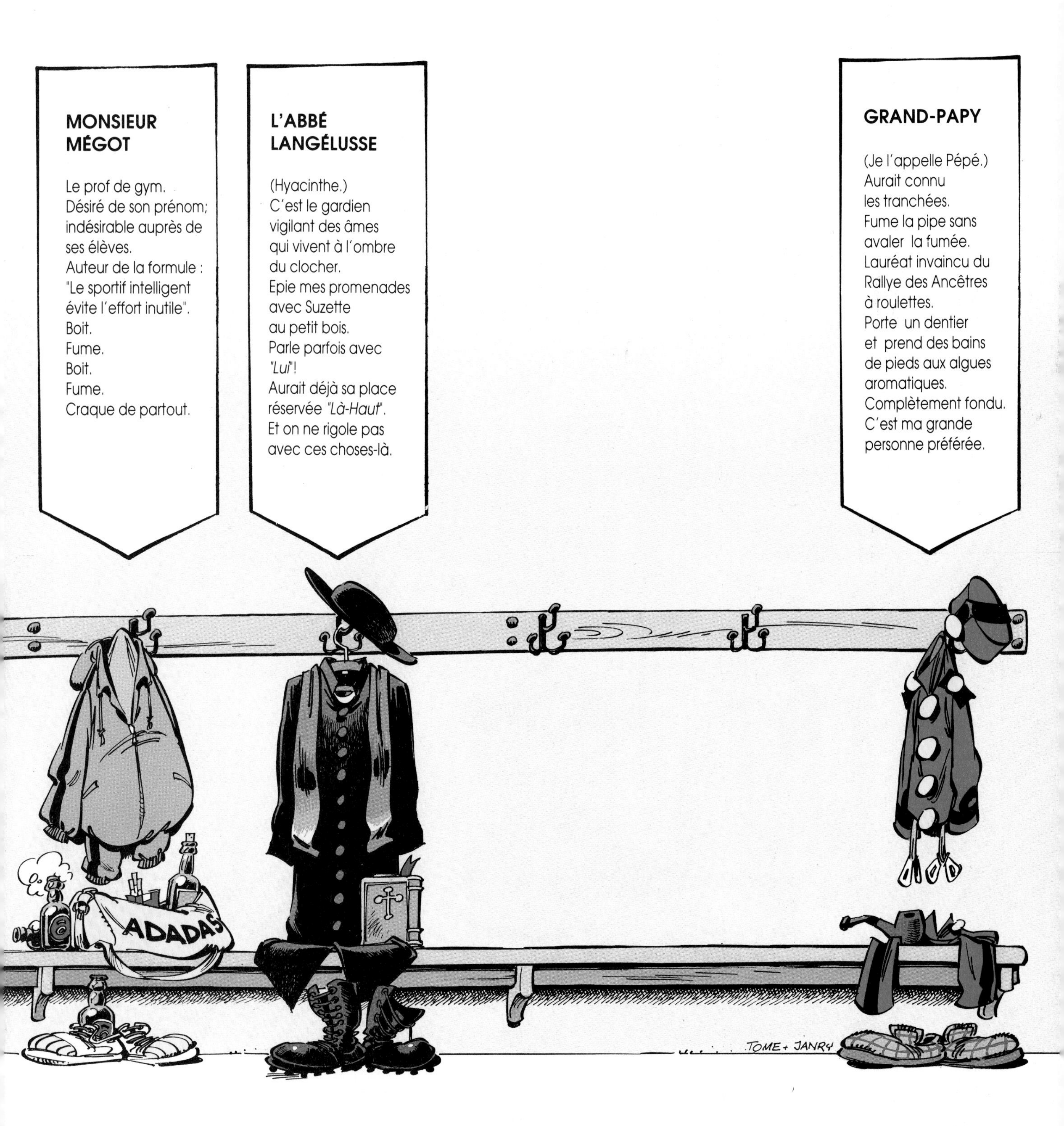
MONSIEUR MÉGOT
Le prof de gym.
Désiré de son prénom; indésirable auprès de ses élèves.
Auteur de la formule : "Le sportif intelligent évite l'effort inutile".
Boit.
Fume.
Boit.
Fume.
Craque de partout.
L'ABBÉ LANGÉLUSSE
(Hyacinthe.)
C'est le gardien vigilant des âmes qui vivent à l'ombre du clocher.
Epie mes promenades avec Suzette au petit bois.
Parle parfois avec *"Lui"*!
Aurait déjà sa place réservée *"Là-Haut"*.
Et on ne rigole pas avec ces choses-là.
GRAND-PAPY
(Je l'appelle Pépé.)
Aurait connu les tranchées.
Fume la pipe sans avaler la fumée.
Lauréat invaincu du Rallye des Ancêtres à roulettes.
Porte un dentier et prend des bains de pieds aux algues aromatiques.
Complètement fondu.
C'est ma grande personne préférée.
ADADAS
TOME + JANRY

"PASSE-MOI L'CIEL"

L'AUTRE ÉVANGILE.

RÉCLAME LES ALBUMS À TON LIBRAIRE !

R. 8/2003. — D. 1994/0089/121 — ISBN 2-8001-2120-3 — ISSN 0776-2844

— Imprimé en Belgique par Proost / Fleurus.
www.dupuis.com

CIRCUS